DINE AND BE DEAD